La naturaleza de cerca y de lejos

Contenido

TEKS 1.3B decodificar sílabas; **1.3E(i)** decodificar palabras en contexto incluyendo sílabas abiertas; **1.3F** decodificar palabras con la "h" muda; **1.22D(iii)** familiarizarse con palabras que contienen la "h" muda

Fonética

Palabras con za, zo, zu y palabras con h Lee las listas de palabras. Di qué palabras tienen **za**, **zo**, **zu** o **h**. Usa una palabra con **zo** y una con **h** en una oración.

zapato	hilo	zumo	hormiga
zona	dureza	higo	pozo
azulejo	harina	pozo	húmedo
hamaca	humo	azúcar	helado

¡Qué habilidosa!

por Yinet Martín

¡Qué habilidosa es Mamá Foca!
Ella sube a cada bebito a una
roca.

Mamá Osa es muy habilidosa.
¡Mira a sus pequeños!
Ella nada en el mar donde habitan.

—¡Dame comida, Mamá!
—le dijo su hijo pequeño.
—¡Yo agarraré el pececito!
—dijo un oso—. ¡Soy habilidoso!

¿Qué le pasa al bebito de Mamá?
Está temeroso y tiene frío.
—Dale, hijo —dice Mamá y le
guiña un ojo—, nada en el
agua. No te pasará nada.
Yo te ayudaré.

¿Qué le pasa al bebito de Mamá?
—Dale, hijo —le dice Mamá—,
sigue rápido por el lodo. No te
pasará nada. Yo te ayudaré.

Mamá Pata nada y nada
por el lago.
Ella roza una hoja.
Ella sacude la cabeza.
¡Ella es muy habilidosa!

TEKS 1.5 Leer en voz alta con expresión/fraseo apropiado/comprensión; **CL1F** hacer conexiones con experiencias/textos/la comunidad y discutir evidencia textual

Datos

Información del texto Piensa acerca de lo que aprendiste sobre las mamás y los bebés en "¡Qué habilidosa!".

Compartir información Elige dos animales sobre los que leíste. Comenta con un compañero en qué se parecen y en qué se diferencian.

TEKS **1.3B** decodificar sílabas; **1.3E(i)** decodificar palabras en contexto incluyendo sílabas abiertas; **1.3F** decodificar palabras con la "h" muda; **1.22D(iii)** familiarizarse con palabras que contienen la "h" muda

Fonética

Palabras con za, zo, zu y palabras con h Lee las oraciones. Di a qué dibujo corresponde la oración.

1. José tiene muchas hojas.

2. Zuli tiene un bolígrafo grueso.

3. Hay un perro en la tina.

El nido

por Yinet Martín

ilustrado por Joe Cepeda

Zulema está animada. ¡Llegó
el verano!

Ya no hace frío. Ella ve un
lago azul.

Zulema sigue a su vecina, Helena.
Zulema ve un nido en un hoyo.

—Es el nido de Mamá Pata —dijo
Helena.

—¿Qué pasará ahora? —preguntó
Zulema.

—Un patito asomará su cabeza
en un ratito —le dijo Helena.

—¡Mira, es un patito! ¡Qué bonito
color tiene! Será mi amiguito.
¿Pero dónde está su mamá?
—preguntó Zulema.
—Su mamá llegará en un ratito
—le dijo Helena.

—¡Mira, allí está Mamá Pata!
—dijo Helena.

—¿Sabe ella que ya tiene un hijo?
—preguntó Zulema.

—Seguro que sí. Lo ve todo
desde arriba —dijo Helena.

¿Qué lleva Mamá Pata
en su pico?
¡Es comida para su hijito!

TEKS 1.4A confirmar predicciones sobre qué sucede en el texto; **1.4B** hacer preguntas/buscar clarificación/localizar hechos y detalles sobre los textos; **1.4C** establecer un propósito para leer textos/ supervisar la comprensión

Contar de nuevo

Sucesos Estos son tres sucesos del cuento "El nido".

- Un patito asomará su cabeza en un ratito.
- Mamá Pata lleva comida para su hijito.
- Zulema ve un nido en un hoyo.

Trabaja con un compañero para ordenar los sucesos del cuento.

TEKS **1.3B** decodificar sílabas; **1.3E(i)** decodificar palabras en contexto incluyendo sílabas abiertas; **1.3F** decodificar palabras con la "h" muda; **1.22D(iii)** familiarizarse con palabras que contienen la "h" muda

Fonética

Palabras con za, zo, zu y palabras con h

Lee las palabras y las oraciones. Usa las palabras para completar las oraciones.

> habitación   gozoso   habla   caza

1. El gato duerme en la _____.

2. El perro salta _____.

3. El sapo _____ un insecto.

4. Este pato _____ mucho.

Zazo goza en la loma

por Aiztinay Ticino
ilustrado por Katherine Lucas

Zazo es un búfalo. Es de color café.
Es pequeño y peludo.

19

Zazo es hijo de Zuzu. Zuzu es el
papá de Zazo.

Zazo lucirá un día como su papá.

Zazo es hijo de Zuza. Zuza es su
mamá. Zazo no come un guiso.
Zazo come zacate como su mamá.

Zazo, Zuzu y Zuza habitan en
una loma.
Zazo sigue a Zuzu y a Zuza
por la loma.

El búfalo es un animal fabuloso.
Pero pesa mucho. No va rápido
ni es muy habilidoso.

Es un día luminoso.

Todo es colorido abajo.

Todo es azul arriba.

Zazo goza mucho en la loma.

TEKS **1.1A** reconocer que las palabras habladas se representan en forma impresa; **1.3C** usar el conocimiento fonológico para emparejar sonidos; **1.3F** decodificar palabras con la "h" muda

Fluidez

Leamos juntos

Palabras de uso frecuente

Escribe **azul**, **hijo**, **zacate** y **habitan** en tarjetas. Practica la lectura de esas palabras con un compañero.

azul   habitan

zacate   hijo

Lee "Zazo goza en la loma" con un compañero. Túrnense para leer en voz alta. Lean cada palabra con atención.

Fonética

Palabras con k, x y w Lee las sílabas que forman las siguientes palabras. Luego lee las oraciones.

Trixi = Tri + xi

kiwi = ki + wi

Iñaki = I + ña + ki

Dixi = Di + xi

1. Iñaki y Trixi juegan juntas.

2. Dixi pica nueces para el almuerzo.

Kiko va con Papá

por Aiztinay Ticino

ilustrado por Rick Brown

Sale el sol. Es un día claro. Kiko
está feliz. Va con su papá a
Lago México. Kiko le tira rápido
la bola.

Papá no la agarra. La bola le
pasa por arriba.
Kiko tira la bola muy rápido.

Papá oye un sonido raro.

Kiko oye un sonido raro.

Es un sonido así:

raka raka tuku tuku wi wi.

Raka raka tuku tuku wi wi.
Chiki chiki dixi dixi wi wi.
Papá se dirige al sonido.
Su hijo Kiko camina con él.

—¿Quién hizo esto? —preguntó
Kiko.

—Debe ser un animal habilidoso
que necesita un nido o una casita
de madera —dijo Papá.

—¡Sí! ¡Sí! —dijo Kiko—. ¡Míralo
allí en el lago! No se ha mojado
ni un poco. Está arriba de una
pila de madera. ¡La hizo él solito!

Fluidez

Leamos juntos

Signos de puntuación   Lee las oraciones. Cada oración debe sonar diferente. Usa las claves como ayuda.

La hizo él solito.

¿La hizo él solito?

¡La hizo él solito!

Claves de puntuación

- Un punto indica el fin de una oración.
- Los signos de interrogación encierran una pregunta.
- Los signos de admiración indican que debes leer con entusiasmo.

33

Fonética

Palabras con k, x y w Une las oraciones con los dibujos. Señala las palabras con **k, x** o **w**.

1. Maxi remienda un pantalón.

2. Kiki busca comida en la tierra.

3. Waldo y Roxi están dibujando.

4. Wali y Wili se sientan en una rama.

Un perrito para Wili

por Olga Duque Díaz
ilustrado por Beth Spiegel

Wili está en su cama.
Wili les pide un perrito a
Mamá y a Papá.
Su papá lo mira con cariño.
Su mamá lo arropa.

—Claro que sí —dice Mamá.
—Claro que sí —dice Papá.
—¡Fabuloso! —dice Wili.

Wili miró cada perrito por la calle.

—Me gusta ese y ese y ese

—dijo Wili.

—¡Elige solo uno! —le dijo Mamá.

Wili se animó con cada perrito.

—¿Son todos para mí?

—preguntó Wili.

—¡Elige solo uno! —le dijo Papá.

Luego, después de un rato, un
perrito color caramelo se asomó
a la reja.

—¡Ese es mi favorito! —dijo Wili.

—Es muy rápido —dijo la señora
Roxana.

—¡Soy feliz! ¡Por fin he elegido
un perrito! —dijo Wili muy
gozoso—. Se llama Kiko.

Escribir

Ideas Piensa en algunos perros que hayas visto. Dibuja al menos tres clases distintas de perros.

Escribe Encierra en un círculo tu perro favorito. Escribe una oración para el dibujo. Puede empezar así: Este perro es _____.

TEKS **1.3B** decodificar sílabas; **1.3E(i)** decodificar palabras en contexto incluyendo sílabas abiertas; **1.7A** conectar el significado de un cuento/fábula con experiencias personales; **1.11** reconocer los detalles de un texto

Fonética

Palabras con k, x y w Sigue las instrucciones. ¡Mira el siguiente dibujo con atención!

1. El perro de Mimi se llama Wapi. Busca a Wapi.

2. La vaca se llama Blixa. Busca a Blixa.

3. El ratón se llama Kiki. Busca a Kiki.

¡Qué pequeños son!

por Olga Duque Díaz

Mira ese pollito. Mira ese gatito.

¡Qué pequeños son!

Mamá vela por cada cachorrito.
¡Qué pequeños son!

Sale el sol. Cada patito nada
con Mamá por el lago.
¡Qué pequeños son!

La pata examina el terreno.
Luego hace un nido. Está feliz.
Ella será mamá.

Ese gatito no pesa ni un kilo
y ya corre mucho.
¡Míralo! ¡Es lo máximo!

El águila bebé exige su comida
desde que nace.
Papá cazará. Mamá se quedará
en el nido y velará por cada hijo.

TEKS **1.28** compartir información/ideas hablando audiblemente

Hablar

Compartir información Piensa acerca de lo que aprendiste sobre los animales jóvenes. Comenta la información con un grupo pequeño. Usa estas sugerencias.

Sugerencias para hablar

- Cuenta los datos que aprendiste.
- Habla con claridad y en voz alta para que te escuchen.
- No hables demasiado rápido ni demasiado lento.
- Usa oraciones completas.

TEKS **1.3A** decodificar las 5 vocales; **1.3B** decodificar sílabas; **1.3E(ii)** decodificar palabras en contexto incluyendo sílabas cerradas; **1.22D(vi)** familiarizarse con palabras que contienen "n" antes de "v"/"m" antes de "b"/"m" antes de "p"

Fonética

Palabras con sílabas terminadas en l, m, n, r y z Lee las oraciones. Vuelve a leer las palabras subrayadas y señala las sílabas terminadas en **l, m, n, r y z**.

1. En este tanque amplio viven peces y algas.

2. Es importante aprender matemáticas.

3. Pedro por fin va a batear. ¡Está feliz!

El bate de Ramón

por Aiztinay Ticino

ilustrado por Jennifer H. Hayden

En primavera, Ramón se puso
contento. Su papá le regaló
un bate.

Ramón es bueno con el bate.

Wanda lo anima. Kiko lo anima.

¡Jugar a la pelota es lo máximo!

El papá y la mamá de Ramón
miran el partido. No llueve. Es
un día hermoso.

Ramón resbala al llegar a la base.
Es una jugada difícil. Ramón se
daña la rodilla izquierda. Wili
termina en el piso.

Esta vez le toca el turno a su amigo Aldo López. Ramón lo anima: —¡Dale, Aldo, dale!

No importa que Ramón no tenga
su bate por ahora.
Él se pone a jugar con su papá.

Preguntas

Leamos juntos

Sentimientos Piensa acerca de los sentimientos de Ramón en el cuento. Busca otros sentimientos haciendo estas preguntas:

- ¿Cómo se sintió Ramón cuando Papá le regaló un bate?
- ¿Cómo crees que se sintió Ramón cuando se dañó la rodilla?
- ¿Cómo crees que se sintió Ramón cuando jugó su amigo Aldo?

Comenta tus ideas con un compañero. ¿Qué otras preguntas puedes hacer?

TEKS **1.3B** decodificar sílabas; **1.3E(i)** decodificar palabras por separado incluyendo sílabas abiertas; **1.3E(ii)** decodificar palabras por separado incluyendo sílabas cerradas; **1.22D(vi)** familiarizarse con palabras que contienen "n" antes de "v"/"m" antes de "b"/"m" antes de "p"

Fonética

Palabras con sílabas terminadas en l, m, n, r y z Lee todas las palabras. En el recuadro, busca seis palabras con sílabas terminadas en **l, m** y **n**. En el recuadro, busca seis palabras con sílabas terminadas en **r** y **z**. Vuelve a leer esas palabras.

algo	canta	corto
viven	moda	veloz
campo	bolsa	rima
cono	luz	roca
compás	pozo	arte
liso	calor	paz

Wicho está feliz

por Yanitzia Canetti
ilustrado por Maria Maddocks

Se va el invierno.
Llega la primavera.
Llueve mucho.
Wicho corre por la acera.

Wicho anda apurado.
Wicho corre como loco.
Wicho resbala en un charco.
¡Y Wicho se daña un poco!

Wicho anda cabizbajo.
Wicho anda lento.
Wicho sube por la loma.
¡Y Wicho no está contento!

Wicho llega a un lugar
muy bonito y decorado.
Allí ve algo lindo.
¿Será Kati Colorado?

Wicho salta felizmente.

¿Por qué será?

Wicho ve algo diferente.

¿Cuál elegirá?

A Wicho no le importa
si llueve o sale el sol.
Con su capa amarilla,
parece un girasol.

Contar de nuevo

Trama Habla con un compañero sobre el problema de Wicho y cómo lo resuelve.

Escribe y dibuja Piensa en algún problema que tuviste. Escribe un cuento corto sobre cómo resolviste el problema. Haz un dibujo para tu cuento.

Fonética

Palabras con sílabas terminadas en l, m, n, r y z

Usa las siguientes palabras para completar las oraciones.

> nariz   jugar   antes   gustan

1. Alberta quiere

   _____.

   Pero _____
   ayuda a Papá.

2. A Ámbar no le

   _____ los huevos.

   Al comerlos frunce la _____.

Arturo acampa

por Aiztinay Ticino
ilustrado por Barry Gott

Arturo mira un folleto con Mamá
y Papá. Esta primavera, él irá a
acampar.

Arturo no olvida que debe
hacer algo importante. Él debe
bañar a su perro Maxi y tirar
la basura.

Arturo baña a Maxi. Es
divertido echarle agua. Todavía
es pequeño y cabe en la tina.
Pero Arturo termina tan mojado
como Maxi.

Arturo va a tirar la basura. La carga no pesa solo un kilo y resbala fácilmente. Arturo se empeña en no verter nada.

—Has hecho una linda labor, Arturo —le dijo su mamá—. Ahora te llevaré a tu lugar favorito: ¡un campamento en la montaña!

Finalmente, Arturo acampó con
Wanda, Wili y Kiko. ¡Qué bueno!
¡Estaba feliz!

Decodificar

Leamos juntos

Lee con atención Lee estas oraciones:

> Es invierno en la montaña y hace frío.
>
> Cuando llueve te puedes resbalar.
>
> En primavera iremos a acampar.

Piensa ¿Leíste todas las palabras correctamente? ¿Cómo lo sabes? Si te cuesta leer una palabra, ¿cómo puedes averiguar qué significa? Vuelve a leer las oraciones.

Fonética

Palabras con sílabas terminadas en b, c, d, s y x Lee las palabras. Presta atención a las sílabas subrayadas. Luego lee las oraciones.

> <u>ob</u>sequio <u>ex</u>tenso <u>ac</u>to
> <u>pas</u>tel <u>ad</u>mira

1. Quiero un pastel como obsequio.

2. Elsa comió las uvas en el acto.

3. Walter admira el extenso lago.

74

Pasteles y más pasteles

por Aiztinay Ticino
ilustrado por Peter Grosshauser

A Tortuga le gustan los pasteles,
pero no sabe cómo hacerlos ni
dónde hallarlos. Hoy ha salido
a buscar ayuda.

Tortuga observa el camino.
Ella es activa, pero no avanza
rápido. Solo va pensando en
cómo hacer o hallar un pastel.

Tortuga ve un ave sobre un cacto.

—¿Sabes hacer un pastel?

—le preguntó Tortuga.

—No sé —dijo el ave—. Pero sé
dónde hallar uno.

—Soy experto en pasteles. Hago
tres por hora. ¿Están preparados
para ver un sitio espectacular?
—dijo Sixto con un ala extendida.

Sixto expuso sus pasteles en línea
sobre una repisa.

Tortuga pudo admirarlos.

—¿Podemos adquirirlos?

—preguntó Tortuga.

—Sí, están a la venta al público

—dijo Sixto.

Ave cargó con cuatro pasteles y
Tortuga cargó con cinco.
—No sé cómo hacer un pastel
—dijo Tortuga—. ¡Pero ya sé
dónde hallar los mejores pasteles!

TEKS **1.17A** generar ideas para escribir; **1.19A** escribir composiciones breves; **1.20A(3)** comprender/ utilizar adjetivos

Escribir

Planea la escritura Mira los pasteles de Sixto en el cuento. ¿Cuál te gustaría adquirir? Haz un dibujo del pastel.

Describe Escribe una oración sobre el pastel. Usa adjetivos para mostrar el aspecto, el olor y el sabor.

TEKS **1.2E** identificar sílabas en palabras habladas; **1.3E(i)** decodificar palabras en contexto incluyendo sílabas abiertas; **1.22F** deletrear usando conocimiento silábico/partes de la palabra/segmentación de palabras/división de sílabas

Fonética

Palabras con sílabas terminadas en b, c, d, s y x

Lee las palabras. Luego úsalas para completar las oraciones.

| cinta adhesiva | Sixta | escudilla |

1. _____ es una ballena amistosa.

2. En la _____ serviremos el arroz.

3. Usamos _____ _____ para pegar objetos.

Sixta, la ballena

por Aiztinay Ticino
ilustrado por Julia Woolf

Sixta es una ballena. Sus amigas
le dicen: —Nos saludas con
cariño. ¡Eres estupenda!

—No te podemos cargar. ¡Eres
enorme! —le dicen cuatro
ballenas que esperan en línea.
—¡Te admiro, Sixta! —dice una
ballenita amistosa.

Sixta es una ballena activa.
Hace cosas absurdas, pero
divertidas. Ella salta sobre las
olas con las aletas extendidas.
¡Observa lo que hace hoy!
Su público la admira.

Los animales marinos están
preparados para verla cada
mañana. Ella monta un
espectáculo. El lunes hace tres
maromas. El martes hace chistes.

El resto de la semana, Sixta hace
muchas actividades distintas.
El mar es un sitio fabuloso desde
que Sixta llegó.

Pero el domingo es el mejor día.
Sixta dirige un coro de ballenas.
Todas cantan. ¡Todas son
estupendas como Sixta!

TEKS **1.1A** reconocer que las palabras habladas se representan en forma impresa; **CL1E** volver a contar/actuar sucesos importantes en las historias

Palabras escritas

Palabras habladas Un texto puede mostrar las palabras que dicen las personas. Lee estas oraciones con dos compañeros.

—Nos saludas con cariño. ¡Eres estupenda!

—No te podemos cargar. ¡Eres enorme!

—¡Te admiro, Sixta!

Represéntalo Ahora representa lo que dicen Sixta y sus amigas con tus compañeros.

TEKS **1.2E** identificar sílabas en palabras habladas; **1.3E(i)** decodificar palabras en contexto incluyendo sílabas abiertas; **1.3E(ii)** decodificar palabras en contexto incluyendo sílabas cerradas; **1.22F** deletrear usando conocimiento silábico/partes de la palabra/segmentación de palabras/división de sílabas

Fonética

Palabras con sílabas terminadas en b, c, d, s y x
Lee los pares de palabras. Señala las sílabas terminadas en **b**, **c**, **d** y **x**. Luego usa dos de esas palabras para completar las oraciones.

> rapidez = velocidad
>
> conseguir = obtener
>
> derecho = recto   sabroso = exquisito

1. Este postre está _____.

2. Astrid y Ana corrieron del autobús con _____.

Un lugar seguro

por Aiztinay Ticino

Un castor observa a su alrededor.
Busca una rama para hacer su
casita.

El castor es un animal muy activo.
Usa su dentadura para cortar
cada rama. Es un experto
carpintero.

Este sitio es un lugar seguro
para el castor. Estos lugares son
preparados con ramas y lodo,
sobre un extenso lago. Es un
estupendo escondite para el castor.

Los hijos de los castores descansan
en este lugar. Sus papás saben
que es un lugar seguro. Hoy
les enseñarán cómo se corta la
madera con los dientes. Un día,
ellos harán sus casitas.

Papá Castor le enseña a su hijo
mayor cómo se corta una rama.
El castorcito observa todo con
interés. El castorcito admira a
su papá.

El castor está activo en todo momento. Debe velar por sus hijos y por sí mismo. Ya tiene un hogar seguro, pero no deja de ser activo. ¡Qué fabuloso animal!

TEKS **1.27B** seguir/volver a exponer/dar instrucciones orales; **1.28** compartir información/ideas hablando audiblemente; **1.29** seguir reglas conversacionales

Hablar

Compartir información Piensa acerca de lo que aprendiste sobre los castores.

- ¿Cómo construyen sus casitas?
- ¿Conoces otros animales que construyan sus casas?

Habla con un compañero acerca de los animales que construyen sus propias casas. Usa estas sugerencias.

Sugerencias para hablar

- Habla con claridad y en voz alta para que te escuchen.
- No hables demasiado rápido ni demasiado lento.

TEKS **1.6A** identificar verbos/sustantivos; **1.6D** identificar/clasificar palabras; **1.20A(2)** comprender/ utilizar sustantivos (singulares/plurales, comunes/propios)

Fonética

Plurales con -s, -es y -ces Lee todas las palabras del recuadro. Haz una lista de las palabras en singular y luego busca los plurales de esas palabras. Escribe el plural de la palabra que falta.

disfraz	relojes	árbol
barco	disfraces	mancha
reloj	manchas	árboles

La bici de Alan

por Claire Coolidge
ilustrado por Jill Dubin

La bici de Alan es roja y tiene
rayas. Alan ha montado en
bici muchas veces. Ya es un
experto.

Alan monta su bici y va a la casa
de Ester. Su papá lo acompaña.
A Ester le va a gustar la bici de
Alan. La bici de Ester tiene los
mismos colores.

A Ester le encanta la bici de Alan.
—Me gustan las rayas. Mi bici
tiene rayas rojas. Se parecen a
las tuyas —dice Ester.

Alan, Papá y Ester siguen un
camino de tierra.

—Esos patos vuelan y andan en
grupo —observa Ester.

Papá, Ester y Alan reposan
después de cinco millas. Es
un recorrido largo.

—Es el final —dice Ester—.
Debemos volver a casa.

Ellos van a la casa de Ester.

—¿Podemos montar en bici
mañana? —dice Ester.

—Sí —dice Alan—. ¡Qué divertido!

104

Palabras

Leamos juntos

Acciones, personas y cosas Las palabras como **montar** nombran acciones. Las palabras como **Alan** nombran personas. Las palabras como **bici** nombran cosas. Lee estas palabras:

> casa vuelan Ester camino observa

Copia esta tabla:

Acciones	Personas	Cosas

Usa la tabla para clasificar las palabras del recuadro. Agrega otras palabras.

Fonética

Plurales con -s, -es y -ces Mira los dibujos y escribe el nombre de cada uno abajo. Luego usa esas palabras en plural para completar las oraciones.

1. Los _____ muestran la hora.

2. Los _____ son blancos y negros.

3. Los _____ viven en mares y lagos.

106

La temporada de las cometas

por Zach Mathews

ilustrado por Chi Chung

Hoy no hace mucho sol. Pero
no llueve. ¡Es la temporada
de las cometas! ¡Qué divertido!

Un remolino lleva la cometa
arriba. La cometa tira del
hilo. Admiro los colores.

Observo la cometa activa.
Sube y baja muchas veces. Las
cometas bailan por las nubes.

Esta cometa es de mi amiga, Kati.

—Agarra el hilo, Kati. Debes
extender tus manos arriba. Ahora,
¡corre y corre!

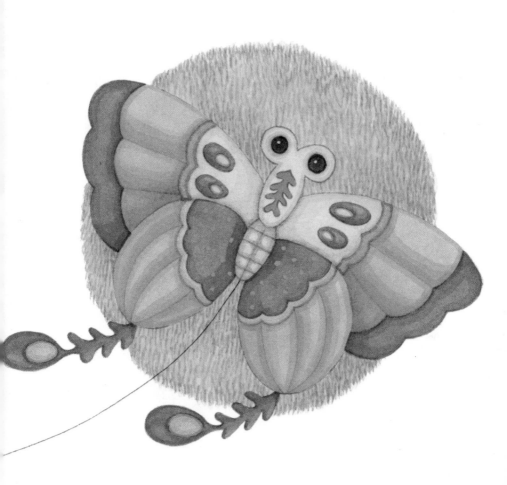

Desde la tierra, miro la cometa.
A veces las cometas vuelan
en grupos como las aves o
las mariposas.

Tengo que irme a casa. Nos
veremos luego. ¡Me encanta
la temporada de las cometas!

Información   Leamos juntos

Detalles importantes   Vuelve a leer "La temporada de las cometas" con un compañero. Miren los dibujos. Busquen información importante sobre cómo vuela una cometa. Juntos, hagan una lista sobre cómo vuela una cometa. Asegúrense de incluir la mayor cantidad posible de detalles.

¿Cómo vuela una cometa?

1.

2.

3.

4.

TEKS **1.6A** identificar verbos/sustantivos; **1.6D** identificar/clasificar palabras; **1.20A(2)** comprender/ utilizar sustantivos (singulares/plurales, comunes/propios)

Fonética

Plurales con -s, -es y -ces Lee las palabras del recuadro. Usa esas palabras en plural para completar las oraciones.

delfín árbol animal ardilla nuez

1. Los _____ viven en el mar. Son _____ muy inteligentes.

2. Las _____ viven en los _____. Les gusta comer _____.

El doctor bueno

por Vince Delacroix

ilustrado por Dave Klug

Félix se rasca la piel encima
de los ojos. Los ojos están
rojos. Parecen dos melones.
Llamaré al doctor.

115

Le digo al doctor lo que pasa.
Le digo que Félix se está
rascando los ojos. El doctor me
dice que debo llevar a Félix.

A Félix y a mí nos gusta este
doctor. El doctor no es como
otros doctores. El doctor nos
pone felices. Él nos da bombones.

Caminamos rápido por la tierra.
A veces, Félix se queja. Nos deja
saber que le pican los ojos. Félix
no para de caminar. Él no se
rasca los ojos.

El doctor examina todo el cuerpo.
El doctor observa los ojos.
—Mira este ojo —dice el doctor—.
Está rojo. Vamos a sanarlo.
Félix deja de moverse. Félix no
se queja.

El doctor le echa las gotas
necesarias. Félix se sentirá mejor.
Félix y yo estamos contentos por
la bondad del doctor.

Contar de nuevo

Orden de los sucesos Piensa en el cuento "El doctor bueno". Estos sucesos están mezclados.

- El doctor examina todo el cuerpo.
- Félix se sentirá mejor.
- Félix se rasca la piel encima de los ojos.
- Le digo al doctor lo que pasa.

Trabaja con un compañero para ordenar los sucesos y contar el cuento de nuevo.

TEKS 1.2E identificar sílabas en palabras habladas; **1.20A(2)** comprender/utilizar sustantivos (singulares/plurales, comunes/propios); **1.22F** deletrear usando conocimiento silábico/partes de la palabra/ segmentación de palabras/división de sílabas

Fonética

Lee para repasar Usa lo que sabes sobre los sonidos y las letras para leer las palabras.

Plurales con -s, -es y -ces

| delfines | árboles | felices | águilas |
| osos | ratones | relojes | narices |

Palabras con sílabas terminadas en l, m, n, r y z

| tanque | ámbar | cruz | azteca |
| ágil | último | pintar | empate |

Palabras con sílabas terminadas en b, c, d, s y x

| Félix | acto | isla | bondad |
| absurdo | adquirir | obsequio | mixto |

TEKS **1.2E** identificar sílabas en palabras habladas; **1.20A(2)** comprender/utilizar sustantivos (singulares/plurales, comunes/propios); **1.22F** deletrear usando conocimiento silábico/partes de la palabra/ segmentación de palabras/división de sílabas

Fonética

Lee para repasar Usa lo que sabes sobre los sonidos y las letras para leer las palabras.

Plurales con -s, -es y -ces

paces	colores	notas	bombones
animales	niños	lápices	flores

Palabras con sílabas terminadas en l, m, n, r y z

matiz	salto	empezar	invitado
sol	canción	tortuga	vez

Forma y lee palabras Combina las sílabas y lee las palabras.

ob	te	ner	ad	mi	ra
ex	tra		mos	ta	za

123

Listas de palabras

Para usar con
Animales marinos

¡Qué habilidosa!

página 2

Palabras decodificables
Destreza clave: Sílabas abiertas con
za, zo, zu y **h**:
cabeza, habilidosa, habilidoso, roza

Destrezas enseñadas anteriormente:
agarraré, ayudaré, bebito, comida, dale,
dame, dice, dijo, ella, foca, lago, lodo,
mamá, mira, nada, no, ojo, osa, oso,
pasa, pasará, pata, pececito, pequeño,
rápido, roca, sacude, sigue, sube, te,
temeroso

Palabras de uso frecuente
Nuevas: agua, donde, frío,
habitan, mar, pequeños

Enseñadas anteriormente:
al, de, el, en, es, está, la, le,
muy, por, qué, soy, un,
una, y, yo

El nido

página 10

Palabras decodificables
Destreza clave: Sílabas abiertas con
za, zo, zu y **h**:
ahora, cabeza, hace, Helena, hijito, hijo,
hoyo, Zulema

Destrezas enseñadas anteriormente:
allí, animada, arriba, asomará, bonito,
comida, dijo, ella, lago, llegará, llegó,
lleva, mamá, mira, nido, no, pasará,
pata, patito, pico, ratito, sabe, seguro,
será, sí, su, todo, ve, vecina, ya

**Palabras de uso
frecuente**
Nuevas: azul, color, donde,
frío

Enseñadas anteriormente:
de, desde, el, en, es, está,
hace, preguntó, qué, un

Zazo goza en la loma
página 18

Palabras decodificables

Destreza clave: Sílabas abiertas con **za, zo, zu** y **h**:
goza, habilidoso, hijo, zacate, Zazo, Zuza, Zuzu

Destreza clave: Repasar sílabas abiertas con **q** y **gue, gui**
guiso, pequeño, sigue

Destrezas enseñadas anteriormente:
abajo, arriba, búfalo, café, colorido, come, como, fabuloso, loma, lucirá, luminoso, mamá, mucho, ni, no, papá, peludo, pesa, rápido, su, todo, va

Palabras de uso frecuente

Nuevas: azul, color, habitan

Enseñadas anteriormente:
animal, de, en, el, es, la, muy, un, una, y

Kiko va con Papá

página 26

Palabras decodificables
Destreza clave: Sílabas abiertas con
k, x y **w**:
chiki, dixi, Kiko, tuku, raka, wi

Destrezas enseñadas anteriormente:
agarra, allí, arriba, así, bola, camina,
casita, debe, dijo, dirige, habilidoso,
lago, madera, México, míralo, mojado,
necesita, ni, nido, no, oye, papá, pasa,
pila, poco, rápido, raro, sale, sí, solito,
sonido, su, tira, va

Palabras de uso frecuente
Nuevas: claro, feliz, sol

Enseñadas anteriormente:
al, animal, con, de, el, es,
está, hizo, la, muy, ser,
un, una

Un perrito para Wili

página 34

Palabras decodificables
Destreza clave: Sílabas abiertas con
k, x y **w**:
Kiko, Roxana, Wili

Destrezas enseñadas anteriormente:
animó, arropa, asomó, calle, cama,
caramelo, cariño, color, dice, dijo,
elegido, elige, ese, fabuloso, favorito,
gozoso, llama, mamá, me, mira, miró,
papá, perrito, pide, rápido, rato, reja, se,
señora, sí, solo, su, todos, uno

Palabras de uso frecuente
Nuevas: claro, feliz,
luego, son

Enseñadas anteriormente:
con, de, en, es, está, la, muy,
para, soy, un, y

¡Qué pequeños son!

página 42

Palabras decodificables

Destreza clave: Sílabas abiertas con
k, x y **w:**
examina, exige, kilo

Destrezas enseñadas anteriormente:
águila, bebé, cachorrito, cazará, comida,
corre, ella, ese, gatito, hijo, lago, lo,
mamá, mira, míralo, mucho, nace, nada,
ni, nido, no, papá, pata, patito, pesa,
pollito, quedará, sale, será, terreno, vela,
velará, ya

Palabras de uso frecuente

Nuevas: feliz, luego, sol, son

Enseñadas anteriormente:
con, desde, el, en, es,
está, hace, la, pequeños,
qué, un, y

127

Para usar con
Las estaciones

El bate de Ramón

página 50

Palabras decodificables

Destreza clave: Sílabas cerradas con **l, m, n, r** y **z:**
al, Aldo, con, contento, difícil, el, en, hermoso, importa, izquierda, llegar, López, lugar, miran, partido, por, Ramón, tenga, termina, turno, un, vez, Wanda

Destrezas enseñadas anteriormente:
anima, base, bate, dale, daña, jugada, jugar, Kiko, llueve, lo, mamá, máximo, papá, pelota, piso, pone, puso, regaló, rodilla, se, su, toca, Wanda, Wili

Palabras de uso frecuente

Nuevas: bueno, izquierda, llueve, primavera, resbala

Enseñadas anteriormente:
al, amigo, con, de, el, en, es, la, un, una, y

Wicho está feliz

página 58

Palabras decodificables

Destreza clave: Sílabas cerradas con **l, m, n, r** y **z:**
algo, anda, cabizbajo, charco, con, contento, diferente, el, en, feliz, felizmente, girasol, importa, lento, lindo, lugar, por, salta, sol, un

Destrezas enseñadas anteriormente:
acera, allí, amarilla, apurado, bonito, capa, Colorado, como, corre, daña, elegirá, Kati, no, llega, llueve, loco, loma, mucho, parece, poco, sale, se, será, si, sube, Wicho, va

Palabras de uso frecuente

Nuevas: cuál, invierno, llueve, primavera, resbala

Enseñadas anteriormente:
con, el, en, está, feliz, la, muy, por qué, un, y

Arturo acampa

página 66

Palabras decodificables

Destreza clave: Sílabas cerradas con **l, m, n, r** y **z**: acampa(r), acampó, algo, Arturo, bañar, campamento, carga, con, divertido, echarle, él, empeña, en, fácilmente, feliz, finalmente, hacer, importante, labor, linda, lugar, montaña, olvida, tan, termina, tirar, un, verter, Wanda

Destrezas enseñadas anteriormente:
baña, basura, cabe, como, debe, dijo, favorito, folleto, hecho, irá, kilo, Kiko, llevaré, mamá, Maxi, mira, mojado, nada, papá, pequeño, perro, pesa, solo, su, tina, va, Wili

Palabras de uso frecuente

Nuevas: bueno, primavera, resbala, todavía

Enseñadas anteriormente:
con, divertido, en, es, la, qué, una, y

129

Pasteles y más pasteles

página 74

Palabras decodificables

Destreza clave: Sílabas cerradas con **b, c, d, s** y **x**:
activa, admirarlos, adquirirlos, buscar, cacto,
cargó, cinco, con, dónde, espectacular, están,
experto, expuso, extendida, gustan, hacer(los),
hallar(los), los, más, mejores, observa, pastel,
pasteles, pensando, sabes, Sixto, soy, sus

Destrezas enseñadas anteriormente:
buscar, cargó, cinco, extendida, gustan, hacer(los),
hallar(los), más, observa, pastel, pasteles,
pensando, podemos, por, preguntó, Tortuga,
venta, ver

Palabras de uso frecuente

Nuevas: cuatro, hoy,
línea, preparados,
público, sitio, sobre, tres

Enseñadas anteriormente:
al, cómo, con, el, en, es,
para, una, un, ya

Sixta, la ballena

página 82

Palabras decodificables

Destreza clave: Sílabas cerradas con **b, c, d, s** y **x**:
absurdas, activa, actividades, admira, admiro,
aletas, amigas, amistosa, animales, ballenas,
cantan, cargar, chistes, con, cosas, desde, dicen,
distintas, divertidas, eres, espectáculo, están,
estupenda(s), extendidas, las, lunes, marinos,
maromas, martes, muchas, nos, observa, olas,
podemos, resto, saludas, Sixta, son, sus, todas

Destrezas enseñadas anteriormente:
amistosa, animales, ballenas, cantan, cargar,
con, dicen, distintas, olas, divertidas, domingo,
en, enorme, eres, esperan, están, estupenda,
estupendas, extendidas, marinos, maromas,
mejor, monta, observa, podemos, resto,
salta, verla

Palabras de uso frecuente

Nuevas: cuatro, hoy,
línea, preparados,
público, sitio, sobre, tres

Enseñadas anteriormente:
el, en, es, hace, mar,
nos, para, pero, un, una

Un lugar seguro
página 90

Palabras decodificables

Destreza clave: Sílabas cerradas con **b, c, d, s** y **x**:
activo, admira, alrededor, busca, carpintero, casitas, castor(es), castorcito, con, corta(r), dentadura, hijos, descansan, ellos, es, escondite, está, este, estos, estupendo, experto, extenso, hacer, interés, los, lugares, mismo, observa, papás, ramas, saben, sus

Destrezas enseñadas anteriormente:
alrededor, carpintero, dentadura, descansan, enseña, enseñarán, escondite, estupendo, experto, les, extenso, harán, hogar, interés, los, lugar(es), mayor, mismo, momento, observa, por, ramas, saben

Palabras de uso frecuente

Nuevas: hoy, preparados, sitio, sobre

Enseñadas anteriormente:
animal, cómo, con, de, el, es, está, la, muy, para, qué, son, un, una, y, ya

SEMANA 5

La bici de Alan

Palabras decodificables
Destreza clave: Sílabas cerradas con **CVC**, plurales con **-s, -es** y **-ces**: colores, las, millas, mismos, muchas, patos, rayas, rojas, tuyas, veces

Destrezas enseñadas anteriormente: acompañan, andan, cinco, colores, debemos, después, es, Ester, experto, grupo, gustan, le, millas, mismos, observa, parecen, patos, podemos

Palabras de uso frecuente
Nuevas: se parecen, tierra, vuelan

Enseñadas anteriormente: de, después, divertido, el, es, la, qué, un, y, ya

La temporada de las cometas

Palabras decodificables
Destreza clave: Sílabas cerradas con **CVC**, plurales con **-s, -es** y **-ces**: aves, colores, cometas, las, manos, mariposas, muchas, nubes, tus, veces

Destrezas enseñadas anteriormente: activa, admiro, amiga, arriba, aves, baja, colores, cometa, como, corre, debes, desde, esta, extender, las, los, lleva, llueve, manos, mariposas, muchas, mucho, nos, nubes, observo, remolino, sol, sube, temporada, tira, tus, veces, veremos

Palabras de uso frecuente
Nuevas: grupos, vuelan

Enseñadas anteriormente: de, desde, divertido, el, en, es, hace, hoy, la, luego, mi, nos, qué, sol, tengo, un, y

El doctor bueno

página 114

Palabras decodificables

Destreza clave: Sílabas cerradas con **CVC**, plurales con **-s, -es** y **-ces**: bombones, doctores, felices, gotas, melones, ojos, veces

Destrezas enseñadas anteriormente: bondad, caminamos, caminar, como, contentos, cuerpo, da, debo, dice, digo, doctor, dos, echa, encima, estamos, examina, Félix, gusta, llamaré, llevar, lo, los, me, mira, moverse, no, observa, para, parecen, pasa, pican, pone, que, queja, rasca, rascando, rojos, saber, sanarlo, se, vamos

Palabras de uso frecuente

Nuevas: cuerpo, necesarias, piel

Enseñadas anteriormente: al, de, el, es, está, la, nos, y